JN065965

シロヤギさんとクロヤギさん

バニラアイスの手紙

まつもと りょうこ 文　ながの さき 絵

みやぎけん　ヤギやまという
うつくしい　ヤギのさとに、
シロヤギさんは　すんでいました。

シロヤギさんには　ふしぎなひみつが　ありました。
それは　たべたかみのもようが　そっくりせなかに、
うつしだされる　というものでした。

たとえば　あるひは、

みずたまもようの　デパートのほうそうしを　たべたら

せなかに　あかやきいろの　つぶつぶもようが　あらわれて、

きのみとまちがえた　とりに　つつかれそうに　なりました。

またあるひは、 あんまり おなかが すいていて、
となりの アオヤギさんちの ゆうびんうけから はみだしていた
しんぶんを たべてしまったのです。

だから そのひの よるは、 アオヤギさんの いっかが
シロヤギさんの せなかに あらわれた しんぶんを よみおわるまで、
アオヤギさんちの テーブルの うえで
なんじゅっぷんも じっとしていなければ なりませんでした。

でもこんなのは　まだいいほうです。　たいへんだったのは　あるひのこと。

おなかいっぱい　おひるをたべて　しょくごの　さんぽをしていると、
きんじょの　ヤギぼうずが　よびとめました。

「おねがい　シロヤギさん、ママがかえってくるまえに　これをたべちゃってくださいな」
と、なきそうな　かおで　たのまれました。

ヤギぼうずが　さしだしたかみには　なんだかややこしいすうじが　たくさんならんでいて、
うえのほうには　あかいインクで　『0てん』と　かいてありました。

「ぼくは　きゅうしょくを
たべすぎちゃって
これいじょうは　とてもむり。
でも　ママに　みつかったら
たいへんなんです」と、
ヤギぼうずは　うるうるしためで
うったえるのです。

なるほど　そういうことか。
そういうのは『 しょうこいんめつ 』
というんじゃなかったかな？
「こんなややこしい　すうじをたべたんじゃ
いが　けいれんを　おこしちゃう。
また　こんど　いただくわ」と、
ことわったのです。

すると　ヤギぼうずは、
ほんとうに　なきだしました。

それで　シロヤギさんは　あわてて、
「それに　たべたって　せなかに　０てんの
とうあんが　あらわれるのだから、
『しょうこいんめつ』って　わけには
いかないのよ」と、さっきおもいだした
むずかしいことばを　つかってみたので、
ヤギぼうずは　びっくりして　なきやんだのでした。

そんなあるひ、

シロヤギさんのもとに　しんゆうの　クロヤギさんから　てがみが　とどきました。

「そうだ！　あしたは　クロヤギさんと　いっしょに　ヤギやまを　おりて
まちの　ヤギはしデパートに　かいものに　いくひだった」と、
シロヤギさんは　やくそくを　おもいだしました。

やくそくを　したときは　クロヤギさんは「『まちあわせの　じかんとばしょ』は、
あとで　てがみで　しらせるね」と、いったのでした。

「だって　きれいな　レターセットを　かったから、でんわ　なんかで
やくそくしたら　たのしくないもん。　それに　もらったら　とてもうれしくなる
かおりつきの　レターセット　なんだよ」というわけなのでした。

クロヤギさんからの　ふうとうは、なんだか　いいかおりが　しました。

なんの　かおりだろうと　シロヤギさんは　ふうとうをはなに　ちかづけて、
おもいきり　そのかおりを　すいこみました。

すううぅぅぅぅぅ

「あ、これは　バニラアイスだ。
おいしそうな　バニラアイスの　かおり。　い、いただきまぁす」

あっというまに　ふうとうは、
シロヤギさんの　おなかに　のみこまれて　しまいました。

たべてしまったとたん、シロヤギさんは　そのてがみを
まだ　よんでいなかったことに　きがつきました。
「どうしよう！　あしたの『まちあわせの　じかんとばしょ』が
わからなくなっちゃった」

シロヤギさんは　なきだしそうに　なりました 。
こうなったら　せなかに　あらわれたはずの
『まちあわせの　じかんとばしょ』を 、
いそいで　だれかに　よんでもらわなければ　なりません 。

シロヤギさんは　きのえだで　いねむりしている　とりに
おおごえで　よびかけました 。

「おねがいがあるの 。
せなかの『まちあわせの　じかんとばしょ』を　よんでくれませんか」

とりは　ねぼけまなこで　こたえました 。

「ねているところを　おこされたうえに 、
せなかの　もようは　ちっとも　きのみに　にてないんだもの 。
また　こんど　いただきます」

つぎに　シロヤギさんは　となりの　アオヤギさんちまで　はしっていき、
ドアを　どんどんと　たたいて　いいました。

「おねがいが　あるの。
せなかの『まちあわせの　じかんとばしょ』を　よんでくれませんか」

げんかんに　せいぞろいした　アオヤギさん　いっかは、
こえを　そろえて　こたえました。

「ごはん　たべている　ところ　だったうえに、きょうの　しんぶんは
もう　よんでしまったので、また　こんど　あそびにきてね」

のこるは　ヤギぼうずだけど、

ヤギぼうずは　０てんばっかり　とっていて

せなかの『まちあわせの　じかんとばしょ』が

ちゃんと　よめるか　どうか　あやしい　ものです。

シロヤギさんは　もうだれかに　せなかに　あらわれているはずの

『まちあわせの　じかんとばしょ』を　よんでもらうのは

あきらめようと　おもいました。

そして　クロヤギさんに　ききにいくことに　きめました。

「クロヤギさんは　あきれるかも　しれないけど
けっきょくは　クロヤギさんの　レターセットが
ステキだったことの　しょうめい　なんだから、
きっと　よろこんでくれるに　ちがいないわ」と、

シロヤギさんは　バニラアイスの
あじを　おもいだしながら、
クロヤギさんちに　むかいました。

さて 、 クロヤギさんちの　げんかんを　なんどか　コンコンと　たたくと
ドアが　すぅっと　あいて　アカヤギが　かおを　だしました 。

「あれ？　ここは　クロヤギさんの　おうちでは　ないの？」と 、
シロヤギさんが　おそるおそる　きくと 、
「そうですよ」と 、　アカヤギが　ガラガラごえで　こたえました 。

「ここんとこ　かぜ　ひいちゃって　ねつが　あるの」
どおりで　あかいかおで　しわがれごえの　クロヤギさん　なのでした 。

「てがみに『まちあわせの　じかんとばしょ』を
かくって　やくそくしたのに、
『いけなくって　ごめんなさい』って
かいたのは　こういうわけ　だったのよ。
シロヤギさん　わざわざ　おみまいに
きてくれて　ありがとう」

クロヤギさんは　シロヤギさんの　かおを　みて、
ほんとうに　うれしくて　たまりませんでした。

「おあがりくださいって　いいたいところだけど
かぜひいて　ねつが　あるもので、
きょうは　げんかんさきで
おわかれ　しないと　いけないの。
なおったら『まちあわせの　じかんとばしょ』を
かいて　てがみを　おくるからね」

「うん」と　シロヤギさんは　うなづきました。
そうして「てがみ　まってるね」と
いいながら　ドアを　しめようとして
つけくわえたのでした。

「クロヤギさん、つぎの　てがみは

チョコレート　あじの

レターセットで　おねがいね」

松本 良子 （まつもと りょうこ）

1950 年東京都生まれ。昭和女子大短期大学部卒業。
東京で塾経営後、1988 年香港へ移住、1992 年スタッフ・マネージメント・コンサルタンシーを設立。その後シンガポール、オーストラリア（シドニー、ブリスベン）を経て 2007 年以降香港在住。2018 年から Mediport International に勤務。2022 年 11 月病のため死去。

永野 早紀 （ながの さき）

1985 年山形県生まれ。東北福祉大学社会教育学科卒業。
『魔女っ子たちの図書館学校』(郵研社刊)の表紙絵担当。

シロヤギさんとクロヤギさん
バニラアイスの手紙

2024 年 1 月 25 日　初版発行
文　まつもと りょうこ ⓒ MATSUMOTO Ryoko
絵　ながの さき ⓒ NAGANO Saki

発行者　　登坂 和雄
発行所　　株式会社　郵研社
　　　　　〒 106-0041　東京都港区麻布台 3-4-11
　　　　　電話（03）3584-0878　FAX（03）3584-0797
　　　　　http://www.yukensha.co.jp

印　刷　　モリモト印刷株式会社
デザイン　マユタケ ヤスコ

ISBN978-4-907126-63-6　C8793　　2024 Printed in Japan
乱丁・落丁本はお取り替えいたします。